给孩子做一份可爱便当

铃木真帆 著　刘丽萍 译

北京日报出版社

平时我们简单随意做的装饰料理叫做“Maho’s Table”

本人是主办“Maho’s Table”料理培训班的讲师。在这里研发的是以孩子为对象的“宝宝食品系列”。正因为以孩子为中心，所以孩子们的生日料理当然要准备得十分完美。不过除此之外，对于带去学校的便当或者聚会时的食物，我们只要下点功夫加上想要写的祝词或把做好的料理装扮成某种动物的样子，孩子们就可能喜出望外，即使是不喜欢吃的食物他们也会大口地吃。

这些料理并不是很完美高级，样子稍微有点不好看，不过我们每天都可以做。不管是喜欢还是不喜欢，孩子看到料理的那一瞬间都会从心里感受到妈妈为自己所付出的心血，从而觉得这料理是美味。本人也实践了一下，果然受到女儿的大大称赞。

本人介绍的并不是用什么高级材料来装饰的食物，而是我们任何时候都可以做出的“既简单又好吃的材料”。

孩子们的特别版！节日菜谱

此书中出现的料理做法

此书所使用的容器
* 材　料：请使用较为容易分量的容器
* 容　器：请参照以下
一杯 =200cc 200ml/ 一大勺 =15cc、15ml/ 一小勺 =5cc、5ml
* 微波炉：请使用 600W
* 烤面包炉：请使用 1200W

各种装饰食材

不要特意去买装饰食材，尽可能使用现有的食材。
厨房里应该有很多可以使用的食材。

不同颜色的材料

红色・粉色系列

为了突出重点，必须使用各种颜色的食材。例如，如果是脸部的话，嘴巴或者脸蛋等处用红色或者粉色的食材修饰会给人一种柔和、优雅、亲切感。

草莓、山莓、胡萝卜、红辣椒、红生姜、番茄汁、果酱

培根、腊肠、火腿（切片）、鱼松粉 、鲑鱼（剁碎）

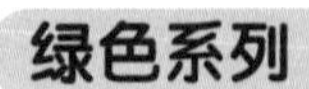

绿色系列

使用绿色植物或蔬菜搭配装饰，更能突出新鲜感。

薄荷、青椒、绿芦笋、秋葵、葡萄、肠浒苔

白·黄色系列

制作脸部、突出某个部位的重点或体现食物的季节感时，使用白色和黄色食材的机会很多，而且很受欢迎。

鸡蛋、蛋黄酱、玉米、辣椒、菠萝

鹌鹑蛋、奶酪、鲜奶油、奶油酪、白米饭

茶色系列

在装饰动物的过程中，制作脸、身体时使用茶色的频率很高。除此以外，眼睛、鼻子等部位也经常使用茶色。

茶

油炸豆腐、黄豆面、调味料、芝麻、磨碎纳豆

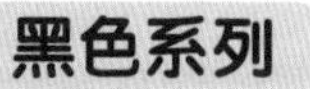

黑色系列

使用黑色系列的频率也很高，例如在制作眼睛、鼻子或者头发时，黑色可以让食物更形象化。

做主食的食材

在日常生活中，“拌饭”作为主食，所需材料如下图所示，
把米饭和这些材料放在一起搅拌，会使色彩更加突出。
很简单，只需使用我们身边的食材就可以完成。

调味食品

海苔鸡蛋，青菜，
干制鲣鱼，盐芝麻，
（红）紫苏粉末

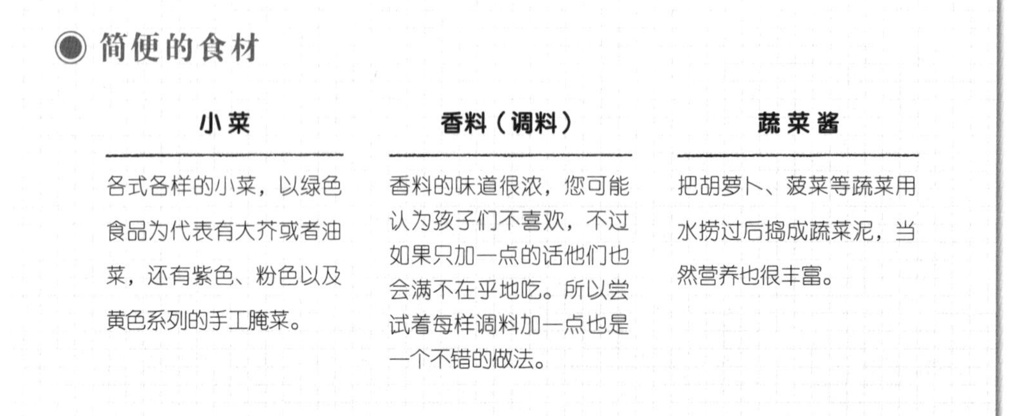

简便的食材

小菜

各式各样的小菜，以绿色食品为代表有大芥或者油菜，还有紫色、粉色以及黄色系列的手工腌菜。

香料（调料）

香料的味道很浓，您可能认为孩子们不喜欢，不过如果只加一点的话他们也会满不在乎地吃。所以尝试着每样调料加一点也是一个不错的做法。

蔬菜酱

把胡萝卜、菠菜等蔬菜用水捞过后捣成蔬菜泥，当然营养也很丰富。

平时我们在市场买的点心都装饰得十分华丽。 形状、颜色都很丰富，在各种场合使用也很方便！

绚丽多彩的巧克力和长棒形巧克力是糕点装饰的重点食材。

烤点心

可以在小甜饼干或者咸饼干、脆饼干等平整的食材上写祝词。

日式点心食材

加上一些带有颜色的红豆或红豆馅、白豆馅、糖豆、抹茶等，更能够体现出日式风格。

制作糕点的食材

不愧为专用食材，颜色鲜艳、种类丰富。只要在最后加工时加一些，修饰做出来的成品就会非常华丽，几乎和高级商店里卖的糕点一样。

银色糖豆、彩色糖豆、装饰用砂糖、白色巧克力等，形状和颜色都很丰富。

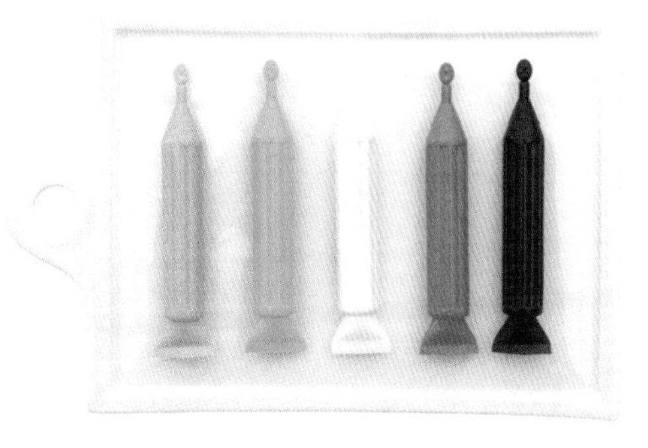

市场上卖的巧克力笔颜色特别艳丽。把笔尖切掉后巧克力酱就会溢出来，在绘画或者写祝词时都很方便。

简单的装饰技巧

一旦记住做法就很容易上手，不会失败。
下面就来介绍两种既简单又方便的做法。
使用我们身边就有的基本材料即可。

主食方面的做法

使用蛋黄酱和海苔来发挥您的潜力

利用蛋黄酱的粘贴力固定材料。

把蛋黄酱放在塑料袋中，把袋口扎紧，用手从上往下挤压。在袋子的前端切一个小口，在希望点缀的地方挤上蛋黄酱。

在挤了蛋黄酱的地方放上海苔，点缀的海苔因为过于小，所以请用镊子或者类似的小工具去摆放。

在装饰耳朵、鼻子时也使用同样方法，这样一来，即使放在便当盒里也不容易脱落。

（制作方法参考 79 页）

使用市场贩卖的巧克力也可以制作巧克力调料酱

即使没有专用的巧克力笔，用巧克力块来制作也很好吃，而且还可以制作巧克力调料。

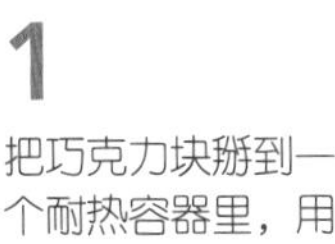

1

把巧克力块掰到一个耐热容器里，用保鲜膜盖住放进微波炉热一分钟左右让它熔化。

2

热完后从微波炉取出来均匀搅拌，如果有没熔化的巧克力要继续加热。

3

巧克力调料完成后，把它涂到糕点上，或者装到挤花袋后再挤压出来涂抹。

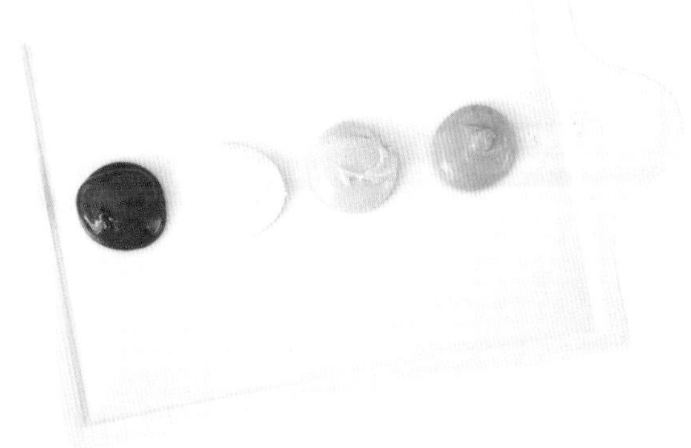

采用自己喜好的颜色自制糕点糖霜

在点心或者甜品上装饰些华丽的糕点糖霜，很容易就可以做出您喜欢的颜色。

1

食材只需要白砂糖和蛋白。

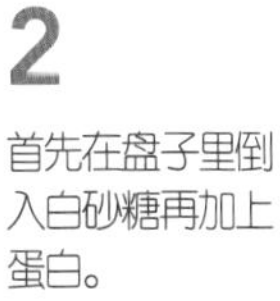

2

首先在盘子里倒入白砂糖再加上蛋白。

3

用搅拌棒使劲拌均匀并且拌出泡沫。

4

再用橡皮勺（铲）搅拌柔软。

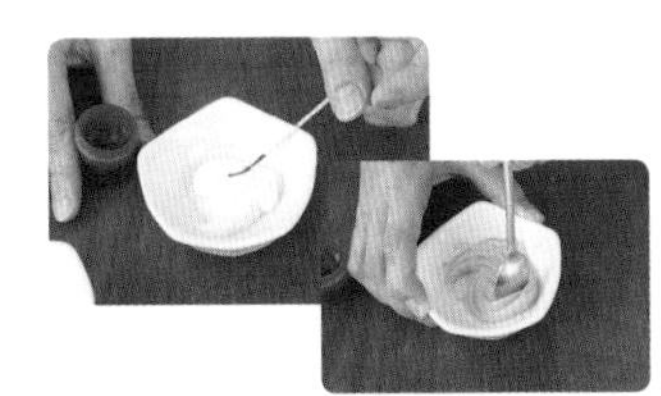

5

用天然色素来调制您喜欢的颜色。天然色素的色彩和口味都很丰富。

受欢迎的道具

除了菜刀和菜板以外，我们来介绍一下其他几种经常使用的工具。把各种模具准备好并按使用顺序摆放，这虽然是细节，却会令进度明显增快、做料理的时间缩短。

形状

把煮透的青菜、海苔、米饭或肉食放在喜欢的模具里，就可以制作出与模具相同的形状。为了引起孩子们的食欲，这是很重要的做法。

把蔬菜、米饭、肉类等放入模具中（厚模具），就可以制出同样形状的食物。

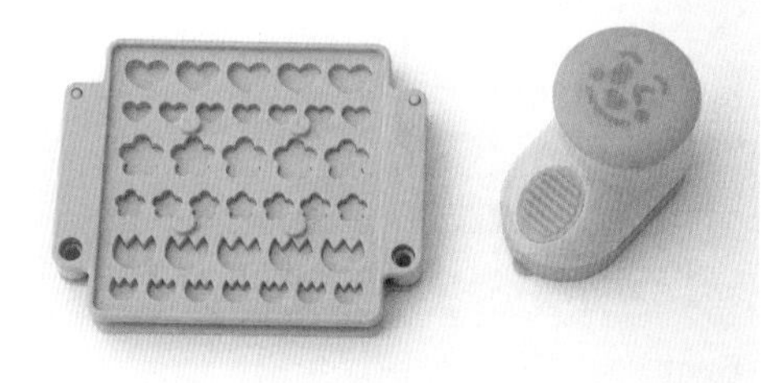

把海苔或者奶酪等薄片食材放入模具盒里（薄模具），就可以制出同样形状的食物。为了更容易把做好的食物分开来，可以分隔开放置。

固定

在固定食材时，牙签或者竹棒是必不可少的，可以用来固定食材、连接食材，起到方便进食的作用，且可使食物更加美观，可利用范围非常广。

装饰性的签子绚丽多彩，极为可爱。可以循环使用，既环保又经济！

挤压

（用于蛋糕上的）挤花袋在写文字或者画装饰图案时是不可缺少的。最近便宜的一次性袋子也很受欢迎。当然也可以用塑料袋来代替！

只需要换一只拧口，就可以出现多种色彩。在挤压时应该把食材从上端往尖端处移动，把空气排挤出来。

轻巧型的道具

这是在裁剪或者粘贴眼睛、眉毛、鼻子、嘴巴等细小图案时所需要的道具。即使是简单的装饰也离不开细小的工具。以下就是我们在制作料理的细节过程中所使用的工具。

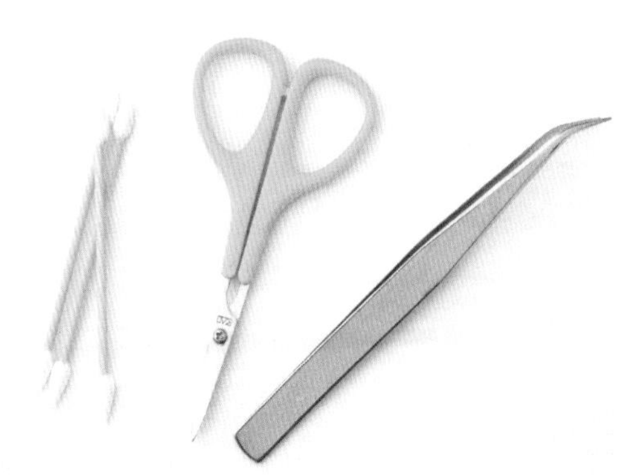

在轻微调整时所使用的细棒、小剪刀、镊子

◉ 其他方面的道具

适合较大食材的道具

在使用较大食材做料理时，可使用蛋糕模具。另外，如果需要手攥食物，就还需要准备保鲜膜。

在料理上添加绘画或者祝词

只需要在最后加工的料理或者点心上加上一些文字或者祝词，
孩子们就可以感受到妈妈的爱。
不需要特别的食材，写祝词是一种便捷的做法。

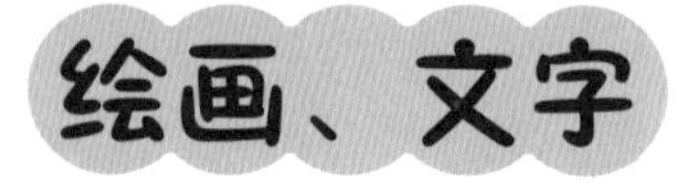

“谢谢”“加油”等，把当时的感情写在料理或者碟子上，这样我们每天都可以和孩子沟通情感。

生日的时候，在碟子上写上孩子的名字代替名字牌。

简单的绘画可以为料理增添引人注目的颜色。请使用糕点糖霜、蔬菜泥等水分较少的食材。

文字的制作方法：在（糕点）挤花袋的细尖端捅出一个小口后调整粗细，再绘上图像及文字。可以尝试使用巧克力调料酱、番茄酱、蛋黄调味汁等。

首先选择
自己最喜爱的菜肴
进行装饰！

“讨厌蔬菜”“不喜欢鱼肉”，
让孩子不由自主、一点不剩地把不喜欢的食物全部吃完。
装饰可爱的菜肴，即使不是十全十美，
可因是妈妈满怀热情地做好的料理，所以孩子一定可以接受。

装饰料理

有两种方法装饰料理。一种是使用平木板，手工制作成形。另外一种是在料理上加某些装饰。当然漂亮的同时味道也很重要。

在盘子中传递信息

在盘子的边缘或者料理上，写上您当时的感想或者描绘某些季节特征的文字，就可以成为一种母子交流的方式。在料理装饰以及盘子装扮方面多下点功夫，更能表达出您的情感。

（制作方法参考 74 页）

油炸饼的基本材料是土豆，不过用南瓜或者其他蔬菜做油炸饼，或在完成品上浇上各种酱汁，会令饼更加美味。且因为油炸饼可以做成各种形状、不同大小的，所以我们可以有更多的装饰制法。

快乐小猪

用油炸饼制作快乐小猪

装饰食材

迷你型油炸饼 / 胡萝卜 / 火腿 / 玉米（罐头式）/ 海苔 / 蛋黄酱 / 细腊肠 / 番茄酱 / 青芦笋

顽皮猴

把两个圆形的油炸饼摞起来，就做成了一只顽皮猴

装饰食材

圆形油炸饼 / 火腿 / 海苔 / 蛋黄酱

头和身体 ▶ 把两份 20g 左右的油炸饼食材攥成圆形，再蘸上炸渣进行油炸。

脸 ▶ 把火腿切成葫芦形，蘸上蛋黄酱贴在油炸饼上。

眼睛和嘴巴 ▶ 用海苔切出五官，用蛋黄酱贴在火腿上。

最后加工 ▶ 把装饰好脸部的油炸饼叠放在另一块油炸饼上，并且在猴子头顶插上各种装饰性的签子。

装饰食材

★警车

迷你型油炸饼 / 海苔 / 火腿 / 腊肠 / 迷你西红柿 / 蛋黄酱

★急救车

迷你型油炸饼 / 胡萝卜 / 奶酪 / 圆筒状鱼糕 / 扁豆 / 蛋黄酱 / 番茄酱

巡逻车油炸饼

受孩子欢迎的警车和救护车在餐盘中行驶

警车

车体 ▶ 在油炸饼中间涂上蛋黄酱，再粘贴上事先切成细长条形的海苔。

窗户 ▶ 火腿对半切开。

车轮 ▶ 腊肠切成车轮圆形。

车顶灯 ▶ 把迷你西红柿对半切。

急救车

车体 ▶ 在油炸饼上涂上蛋黄酱，把胡萝卜切成细条后粘上。

窗户 ▶ 奶酪对半切开。

车轮 ▶ 在切成车轮形的圆筒鱼糕里放入一小段煮好的扁豆。

车顶灯 ▶ 把胡萝卜切成梯形。

尾气 ▶ 把番茄汁和蛋黄酱混合搅拌后放入糕点挤花袋里，在汽车排气管后画上尾气。

（制作方法参考 74 页）

只要加那么一点点香料，就会令孩子非常喜欢这份咖喱饭。因为咖喱的装饰并不容易，所以最简单的方法就是把米饭装饰成各种形状，再加上多种配料，这样就会引起孩子们的食欲。

睡觉娃娃咖喱

用盘子作床铺，把咖喱堆成被子形状

装饰食材

白米饭 / 咸烹海带 / 海苔 / 咖喱 / 玉米（罐头）/ 胡萝卜 / 秋葵

家庭式咖喱

用米饭做出家庭成员的脸，体现出整个家的温暖气氛！

装饰食材

白米饭 / 咸烹海带 / 海苔 / 胡萝卜 / 红姜 / 鱼松粉 / 咖喱

脸 ▶ 把米饭攥成圆形。
头发 ▶ 放上咸烹海带。
眼睛 ▶ 把海苔切成小块后对称放置。
脸蛋 ▶ 放上鱼松粉。
嘴巴 ▶ 把海苔、胡萝卜、红生姜切成小块后放上。
最后加工 ▶ 把咖喱盛到盘中，再放上已经加工好的饭团。

小兔子咖喱

受欢迎的小兔子在咖喱草原中嬉戏

装饰食材

白米饭 / 红辣椒 / 葡萄干 / 西兰花 / 咖喱

脸 ▶ 把咖喱盛到盘子里，并且准备好一碗米饭倒入咖喱中。
耳朵 ▶ 把红辣椒切细长条，再插到米饭顶端。
眼睛 ▶ 在米饭上安上两个葡萄干。
尾巴 ▶ 在背后放上煮好的西兰花。

肉饼

（制作方法参考 75 页）

把肉馅攥成各种形状，如果再加上一些蔬菜，营养会更加平衡、丰富。把肉饼表面拍平，看上去既美观又诱人。

笑嘻嘻的熊肉饼

用一大两小三块肉饼制作可爱的笑嘻嘻的熊先生

装饰食材

肉饼 / 海苔 / 薄片形奶酪 / 番茄酱 / 蛋黄酱 / 生菜

花卉肉饼

把煎好的迷你肉饼摆成花朵的形状

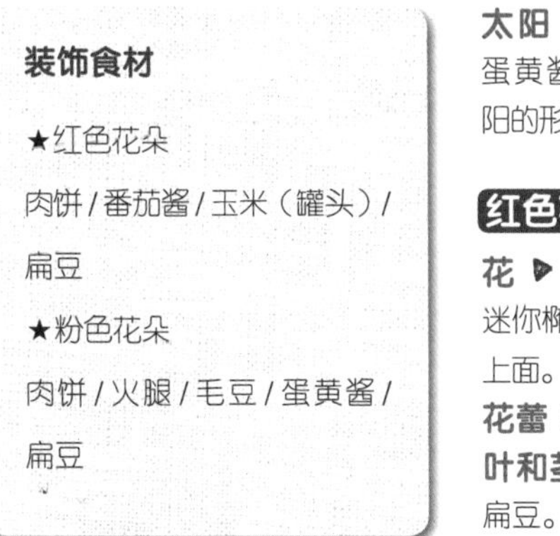

装饰食材

★红色花朵

肉饼 / 番茄酱 / 玉米（罐头）/ 扁豆

★粉色花朵

肉饼 / 火腿 / 毛豆 / 蛋黄酱 / 扁豆

太阳 ▶ 把番茄酱和蛋黄酱混合，画出太阳的形象。

红色花朵

花 ▶ 在盘子里环形摆放五块迷你椭圆肉饼且把番茄酱涂在上面。

花蕾 ▶ 放上玉米。

叶和茎 ▶ 添加上煮透切好的扁豆。

粉色花朵

花 ▶ 在盘子里摆上五块迷你肉饼，并把事前切好的火腿涂些蛋黄酱贴在上面。

花蕾 ▶ 放上煮熟的毛豆。

叶和茎 ▶ 添加上煮透切好的扁豆。

好朋友迷你肉饼

把整盘料理做成一幅画

装饰食材

★迷你熊

肉饼 / 海苔 / 蛋黄酱 / 番茄酱 / 毛豆 / 豌豆黄

★小兔子

肉饼 / 海苔 / 蛋黄酱 / 番茄酱 / 玉米（冷冻）/ 豌豆芽

★心形

肉饼 / 蛋黄酱 / 番茄酱

迷你熊

脸 ▶ 做一块熊形肉饼再煎熟。

耳朵 ▶ 涂上蛋黄酱。

眼睛 ▶ 涂上蛋黄酱，再把海苔切成小块放在蛋黄酱上。

鼻子 ▶ 粘贴上切成小块的海苔。

嘴巴 ▶ 涂上番茄酱。

蝴蝶结领带 ▶ 放上煮透的毛豆。

心形

心 ▶ 做一块心形肉饼再煎熟。

花纹 ▶ 用蛋黄酱和番茄酱在肉饼上画一个心形。

小兔子

脸 ▶ 做一块兔子形肉饼再煎熟。

耳朵 ▶ 把蛋黄酱和番茄酱混合搅拌后涂上。

眼睛 ▶ 涂上蛋黄酱，再把海苔切成小块放在蛋黄酱上。

鼻子 ▶ 粘贴上切成小块的海苔。

嘴巴 ▶ 用蛋黄酱和番茄酱混合后涂上。

蝴蝶结领带 ▶ 放上玉米。

手 ▶ 把豌豆苗摆在熊和兔子的两侧。

奶汁烤菜

（制作方法参考 75 页）

奶汁烤菜让您回味无穷。奶油酱汁里加上通心粉或者蔬菜就变成有质有量的奶汁烤菜。因为加了可口的调料汁，所以即使是不喜欢吃的人也会爱上这盘料理。想要让料理看起来更漂亮，可以在烧烤完工后加些颜色绚丽的食材。

动物园奶汁烤菜

散放些各种动物形状的食材。重点是要使用绿色！

装饰食材

奶汁烤菜 / 胡萝卜 / 火腿 / 西兰花

基本

使用大盘子（耐热型）放在烤炉里烤。

草

散放一些煮透的西兰花。

动物

把煮好的胡萝卜切薄，把火腿切成各种动物形状后摆放均匀。

幼鸟奶汁烤菜

可爱的幼鸟从奶汁烤菜中飞出来了

装饰食材

奶汁烤菜 / 鹌鹑蛋（水煮）/ 青芦笋 / 胡萝卜 / 黑芝麻 / 蛋黄酱

基本 ▶ 用耐热容器烤奶汁烤菜。

幼鸟 ▶ 在鹌鹑蛋上粘上黑芝麻当眼睛，眼睛下切一个小三角口后把小块的胡萝卜贴上去当嘴巴。

花朵 ▶ 用菜刀把鹌鹑蛋对半切后在切面上刻上锯齿纹。

草 ▶ 把煮透的青芦笋斜斜切薄。

传递信息的奶汁烤菜

在奶油酱汁上填写您喜爱的文字

装饰食材

奶汁烤菜 / 玉米（罐头）/ 番茄酱

基本 ▶ 使用心形耐热器具做奶汁烤菜。

边缘 ▶ 在盘子的边缘摆上玉米。

文字 ▶ 用番茄酱写上您的祝词。

杂菜煎饼

（制作方法参考 76 页）

无论是代替主食米饭还是作为点心，杂菜煎饼都是最佳选择。平整的表层，各种食材装饰正是我们所喜欢的。在吃的时候用调料汁或者蛋黄酱在上面画上花纹，并加上些五颜六色的食材，会让孩子们更加喜欢这份料理。

微笑杂菜煎饼

用我们平常经常使用的材料即可很容易地制作杂菜煎饼

装饰食材

杂菜煎饼 / 红姜 / 青芦笋 / 火腿肠 / 调味汁 / 蛋黄酱

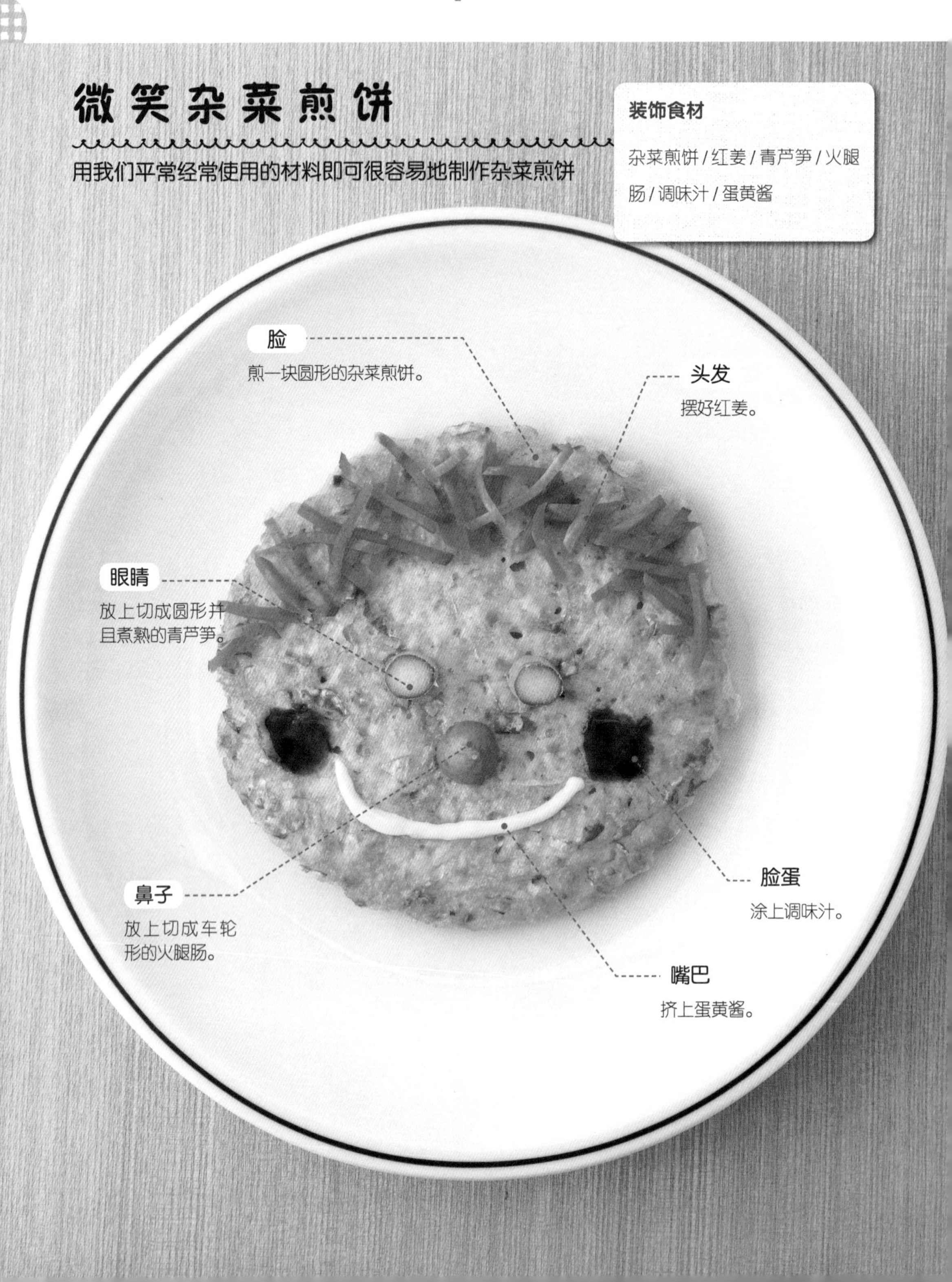

蛋糕式的杂菜煎饼

把杂菜煎饼重叠放好，就类似一块漂亮的蛋糕

装饰食材

杂菜煎饼 / 肠浒苔 / 蛋黄酱 / 柴鱼片 / 调味汁

基本 ▶ 煎三四块同样大小的杂菜煎饼重叠放在餐盘里。

装饰 ▶ 在最上层的饼的表面涂上调料汁，在边缘把肠浒苔散放成圆形。在中间放些柴鱼片，最后把蛋黄酱装在糕点挤花袋（星形口）里并挤在肠浒苔上。

飞机杂菜煎饼

在杂菜煎饼上悠闲自在地飞翔

装饰食材

杂菜煎饼 / 火腿肠 / 红辣椒 / 秋葵 / 煮鸡蛋 / 胡萝卜 / 黑芝麻 / 红姜 / 蛋黄酱 / 调料汁

基本 ▶ 煎好一块圆形的杂菜煎饼。

飞机 ▶ 把火腿肠切成 1/3 长度，在切口处涂上蛋黄酱后再把切细的红辣椒夹在中间。在最顶端放上切成段的秋葵。把另外一根火腿肠对半切开放在飞机机身两侧当作机翼。最后再用牙签相互固定，以防脱落。

太阳 ▶ 在切好的圆形鸡蛋上放上黑芝麻和红辣椒。把煮熟的胡萝卜切成三角形后摆放在周围。

云朵 ▶ 用蛋黄酱画云朵的边框，在中间倒入调味汁。

烤 鱼

（制作方法参考 76 页）

小朋友不爱吃鱼？改变一下鱼的形状和味道就可以。幽默的形态，可爱的装饰，应该会让他们食欲大增。

电车形状的烤鱼

把切为块状的鲑鱼作为车身

装饰食材

烤鲑鱼（块形）/ 海苔 / 青芦笋 / 煮羊栖菜 / 玉米（罐头）/ 豌豆苗

电车

切两块长方形的烤鲑鱼。

窗户

把海苔切成四方形。

轨道

放置好事先煮好的羊栖菜。

车轮

把煮好的青芦笋切成车轮形。

花田

在周围摆放些玉米和豌豆苗。

鲜花鱼片饭

把剁碎的鲑鱼肉盛放在米饭上

装饰食材

烤鲑鱼 / 咸烹海带 / 炒鸡蛋 / 黑芝麻 / 白米饭

花瓣 ▶ 把鲑鱼剁碎，在米饭碗中摆成一朵花形，在周围放上咸烹海带。

花蕾 ▶ 在中间放上炒鸡蛋，再加些芝麻点缀。

降落伞奶酪烤鲑鱼

和奶酪混合，绚丽多彩

装饰食材

烤鲑鱼 / 熔化奶酪 / 彩色青椒 / 豆角

基本 ▶ 把剁碎的鲑鱼放在耐热盘中，浇上熔化的奶酪（用烤面包电炉把奶酪烤到溶解为止）。

装饰伞 ▶ 把青椒切成三角形后合并摆放成伞状。再把其余青椒切细作为伞柄和伞尖。

雨珠 ▶ 在伞尖上端放些煮熟的豆角（车轮形）。

不必要做特别有难度的装饰料理

有些“装饰料理”做起来并不容易。具有代表性的是凹凸不平的炸鸡块，用佐料汁调味的烤肉，汤汁较多的拉面及乌冬面等。至于生鱼片以及用生鱼片做的饭团、饭卷，都必须采用新鲜的材料，所以尽可能不要用来做装饰料理。

炸鸡块没有必要特别去“装饰”。只要堆成一座山或者在盘子里摆成一只恐龙就好。然后在盘子里放一些蔬菜，让孩子在吃肉的同时也可以吃到蔬菜，不会太油腻，营养也更丰富。把肉卷在蔬菜里是我们通常的吃法，不过如果把一些烤的蔬菜和煮的蔬菜拿来做卷寿司，孩子就更能吃到多种蔬菜了。在饭馆里的服务员都会问我们：“客人，您还要些什么吗？”“给我胡萝卜吧！”在家里我们也可以跟孩子们来一些类似这样的对话。

孩子们都很喜欢吃寿司和生鱼片，而这些食物最重要的就是新鲜度！从卫生方面来考虑的话，用来做“装饰”的食材可以用蔬菜来代替寿司和生鱼片，为了更美观，可以使用各种模具制成的蔬菜。

把拉面或者乌冬面的盛具当作外观装饰。具体可请参考“假面具乌冬”的制法。在盛具方面也要多想些法子，根据孩子们的兴趣用各种表情的盛具也是一种不错的构思。

把平时吃的米饭
或者面包
打扮得可口诱人

希望孩子们喜欢自己做的料理。
如此才能体现出妈妈的本事。
可以随意改变料理形状，挑战各种料理创意。

每天的料理都很有特色！
只要用身边经常使用的食材就可以轻而易举地完成。

白米饭

现在几乎每个家庭都是每天只吃一次白米饭。热乎乎的米饭对孩子们来说很特别。我们只要把平常吃的点心改变一下形状放在米饭上就可以让孩子们无比高兴、食欲大增。

卷毛狗纳豆米饭

纳豆和调料汁混合搅拌，做一个可爱的料理装饰！

装饰食材

纳豆 / 调料汁 / 白米饭 / 黑豆 / 胡萝卜 / 玉米（罐头）/ 香肠（红色）

脸 / 耳朵

把纳豆和调料汁均匀搅拌，做一个小橄榄球形放在碗里米饭的中下端。上方的耳朵和脸也是用搅拌好的纳豆制成的。

发带

在耳朵的右上角放上一粒玉米，在玉米的两侧放上切成三角形后煮熟的胡萝卜。

眼睛

把黑豆对半切并对称放置。

嘴巴

把香肠切成三角形。

鼻子

把对半切好的黑豆。

爱心米饭

只要把早餐的料理改变一下形状就可以

装饰食材

煎鸡蛋卷 / 红色香肠 / 白米饭

黄心 ▶ 把鸡蛋卷对半斜切，其中切下来的一截鸡蛋卷翻过来后再合并切口。

红心 ▶ 把香肠对半斜切，其中切下来的一截红色香肠翻过来后再合并切口。

最后加工 ▶ 在白米饭上各加上两个黄心和红心。

拌饭也是同样的做法！

只要把白米饭用自己喜爱的调料搅拌一下即可，爱心制法如上。

熊猫米饭

在忙碌的早晨，
用身边的食材迅速制作早餐

装饰食材

白米饭 / 海苔 / 黑芝麻

脸 ▶ 把米饭盛到饭碗里。

耳朵 ▶ 放上两片切好的海苔（圆形）。

眼睛 ▶ 用汤匙把芝麻倒在碗里。

鼻子 ▶ 最后放上切好的海苔。

为了促进孩子们的食欲，我们可以把饭团的形状做得更加丰富多彩，例如三角形、圆形、腰果形等，同时还可以做白米饭、什锦饭、鳗鱼饭等多种口味，做出更加美味、时尚的饭团。

足球饭团

米饭＋五角星海苔＝美味可口的足球饭团

装饰食材

白米饭／盐巴／咸鳕鱼子／芝麻盐／海苔／肠浒苔

球

分别贴上剪好的五角星海苔。

咸海苔饭团

把米饭放些盐后攥成圆形。

鳕鱼饭团

把咸鳕鱼子弄碎后和米饭均匀搅拌再攥成圆形。

盐芝麻饭团

在米饭里拌进盐芝麻后再攥成圆形。

草坪

用绿色的碎海苔铺成草坪的样子。

三色丸子饭团

因为要穿在竹签上，
所以一定要把饭团攥紧加固

装饰食材

白米饭 / （红）紫苏 / 海苔 / 海苔鸡蛋调味饭 / 干蔬菜调味饭

红紫苏饭团 ▶ 白米饭掺上红紫苏再攥成圆形。

海苔鸡蛋饭团 ▶ 在米饭里掺上海苔，鸡蛋，盐巴等再攥成圆形。

蔬菜饭团 ▶ 在米饭里掺上各种剁碎的蔬菜再攥成圆形。

最后完工 ▶ 把做好的饭团用竹签穿起来。

企鹅饭团

用米饭攥一只可爱搞笑的企鹅

装饰食材

白米饭 / 盐巴 / 海苔 / 红姜 / 煎鸡蛋卷

脸和身体 ▶ 在米饭中加入少许盐，再用保鲜膜包好后攥成一个腰果形。

背部 ▶ 把海苔贴在米饭上(贴住2/3左右的面积)。

翅膀 ▶ 把海苔切成三角形，蘸上少许水后贴在背部的上方。

眼睛 ▶ 把海苔切成既小又圆的形状后贴在脸上。

脚 ▶ 在米饭下分别摆上两块圆形的煎鸡蛋卷。

蛋包饭

（制作方法参考 76 页）

我们也非常喜欢西餐，例如蛋包饭。 只要知道孩子们的兴趣，把做法稍微改变一下，应该就更能提高他们的食欲。

螃蟹蛋包饭

包一个长方形的蛋包饭，再加上用红辣椒做成的螃蟹脚

装饰食材

鸡肉饭 / 红辣椒 / 黑豆 / 煎蛋皮 / 番茄酱

螃蟹脚

把红辣椒切细作为蟹足，最顶端的两只蟹脚用剪刀剪成一个 V 字形再分别排列均匀。

眼睛

在切成小块的红辣椒上放一粒黑豆。

嘴巴

用番茄酱画出嘴巴。

蟹甲壳

用煎蛋皮把鸡肉米饭包起来，把四个角折叠后翻过来放在碟子上。

香蕉形状的蛋包饭

包成香蕉的形状

装饰食材

鸡肉米饭 / 煎蛋皮 / 海苔 / 蛋黄酱 / 番茄酱

香蕉 ▶ 在煎鸡蛋里放入鸡肉米饭后紧紧裹住盛到碟子里。用厨房专用纸把碟子里的蛋包饭攥成香蕉的形状，再把鸡蛋的切口处卷好。

眼睛 ▶ 用蛋黄酱画白眼球，贴上切好的小片海苔当黑眼球。

嘴巴 ▶ 用番茄酱画嘴巴。

狮子蛋包饭

装饰食材

鸡肉饭 / 煎蛋皮 / 火腿肠 / 黑豆 / 海苔 / 西兰花

选好适合自己口味的火腿肠，切成狮子鬃毛的形状

鬃毛 ▶ 把火腿肠切成蛇腹形（切块相连没有完全切断），用牙签固定后入锅双面煎。

脸 ▶ 把火腿做成环形，环形里放入鸡肉饭再包上煎蛋皮。

眼睛 ▶ 放上切好的黑豆。

鼻子 ▶ 把黑豆对半切开放置。

胡子 ▶ 把海苔切成细长形，在煎蛋皮上涂上蛋黄酱并把海苔粘贴上。

草 ▶ 周围撒些小块的西兰花。

最后完工 ▶ 去除制作过程中用于固定食材的牙签，再整理一下即可。

烤面包

为了让烤面包口感润滑，看起来更诱人，可以试把面包进行装饰并在上面添加一些美味的糖霜。要注意的是要先把面包烤到恰好的程度，再添加自己喜好的食材。一定要趁热完成面包的装饰及添加食材的工作。

早餐烤面包

用平时使用的巧克力调料酱写上您的心情

装饰食材

面包（片）/巧克力调料酱

心形

在面包片上放一个心形的铝锡纸后再放到烤箱里烤。

致词

摘下心形的铝锡纸后再用巧克力调料酱写上表达心情的话，并画上图案。

小白兔海苔烤面包

海苔和面包的组合，意想不到的匹配

装饰食材

面包（片）/ 奶油 / 海苔 / 火腿（薄）/ 葡萄干

基本 ▶ 在烤面包（片）上涂抹一层奶油。

兔子 ▶ 在海苔的正中间刻出小兔子的脸，再粘贴到烤面包上。

耳朵 ▶ 把火腿切成细长形后放在兔头上。

眼睛 ▶ 放上葡萄干。

老虎桂皮烤面包

使用桂皮、果酱等一些熟悉的食材！

装饰食材

面包（片）/ 桂皮粉 / 巧克力调料 / 草莓酱 / 葡萄干

老虎 ▶ 在整块烤面包上涂抹一层奶油，盖上一张比面包大的铝锡纸，在中间挖一个老虎脸部的形状后再用滤茶网撒上桂皮粉。

胡子、嘴巴 ▶ 用巧克力调料画出来。

眼睛 ▶ 放上葡萄干。

耳朵、鼻子 ▶ 涂上草莓酱。

偶尔也跟大人们一样
遵守一些正式的礼节

在生活当中，其实孩子们的想法比大人们的都要复杂。例如，孩子们去餐厅吃饭时都会代替大人问服务员，食物的量有多少，是否是一人份……小孩们经常吃有各种装饰的料理，偶尔给他们准备一些成人料理也不错。

一说起吃西餐，自然就联想到刀子和叉子。吃日餐当然就是筷子。这时就有学习礼节的机会了。妈妈自己示范应该怎么做，孩子们会学得很快，只要看一下就马上知道了。另外在就餐时的姿态、形象等也要特别注意，要做到高贵，优雅，自然！

掌握了这样的礼节，在外吃饭时也会受益——让孩子专注吃饭，不会影响到餐厅中的其他人。

从小就学这些礼节，对长大后很有帮助。孩子掌握了自然优雅的进餐方法，让家长在各种就餐场合都不会有后顾之忧。在现实生活中我们也看到有一些大人都不讲究吃相，这是一种令人惭愧的行为。正式的吃饭礼仪对孩子将来的成长会起到更大的帮助。

让孩子们更加期待的美味糕点！！

让我们共同制作能给孩子们带来意外惊喜的糕点！
因为做法比较容易，所以即使是每天做都不成问题。
只要我们下一点功夫，这些糕点就会变得更加高级华丽！

（制作方法参考 77 页）

不管是作为点心还是主食，大家比较广泛认可烤薄饼。烤薄饼不管在大人还是小孩当中都很受欢迎。为了更能吸引家人，我们可以试着挑战多种做法。例如采用水果以及巧克力调料来装饰，或者把饼做成各种大小不一的形状等。

太阳公公烤饼

喜欢的草莓 + 烤薄饼 = 太阳公公烤饼

装饰食材

烤薄饼 / 草莓 / 巧克力（彩色扁圆形）/ 巧克力调料酱

头发

用巧克力调料酱画上。

脸

烤圆烧饼。

眼睛和嘴巴

放上彩色扁圆形巧克力。

太阳的光芒

在烤饼的周围放上切成对半的草莓。

烤熊饼

用香蕉制作一张可爱的熊脸

装饰食材

烤薄饼 / 香蕉 / 草莓酱 / 糕点糖霜（白）/ 巧克力调料酱 / 糖浆

脸 ▶ 烤一张圆形的薄饼，放在装有糖浆的盘子里。

眼睛 ▶ 涂上糕点糖霜（白）作为白眼球，巧克力调料作为黑眼球。

鼻子 ▶ 斜着把香蕉切成薄片之后放在薄饼上，再用巧克力调料酱画出鼻子。

嘴巴 ▶ 用巧克力调料酱画出嘴巴。

耳朵 ▶ 放上切成圆形的香蕉片，再加上草莓酱。

烤雪人饼

在白色的盘子里做雪景

装饰食材

烤薄饼 / 棒形巧克力（茶色，白色）/ 草莓巧克力 / 草莓 / 糕点糖霜（白）

身体 ▶ 各烤两块大小不一的薄饼。

眉毛 ▶ 把棒形巧克力（白）对半折叠放上。

眼睛 ▶ 点上糕点糖霜（白）。

鼻子 ▶ 放上草莓巧克力。

纽扣 ▶ 点上糕点糖霜（白）。

手臂 ▶ 放上棒形巧克力（茶色）。

帽子 ▶ 把草莓纵向对半切后再放上。

烤面圈

（制作方法参考 78 页）

最近，烤面圈很受大众欢迎。不管是作为午后点心还是休闲食品都可以。如果再使用巧克力调料或者加上一些特别的装饰，会使烤面圈看起来更加华丽诱人。

表情面圈

就像欣赏手机里的表情

装饰食材

迷你烤面圈 / 巧克力（彩色扁圆形）/ 巧克力调料酱

脸

使用面圈作为脸部。

鼻子

在面圈中间嵌入巧克力（彩色扁圆形）。

眼睛、嘴巴等

用巧克力调料酱描绘形象。

装饰面圈

表面涂一层彩色糖霜，更能提高您的食欲！

装饰食材

烤面圈/糖霜（白，粉，黄，绿）/巧克力调料酱/葡萄干/彩色调料酱/果酱

基本 ▶ 使用烤面圈。

表面涂层 ▶ 表面涂抹上糖霜（彩色）或者巧克力调料酱。

其他装饰 ▶ 使用自己喜欢的材料进行修饰点缀。

爬虫面圈

根据各种爬行动物的形状，制作出有趣幽默的爬虫！

装饰食材

小块烤面圈/棒形巧克力/葡萄干/干红莓苔/糖霜（绿）

爬虫 ▶ 把五个烤面圈重叠放好，中间插上一根巧克力（棒形）再放在盘子里。

脚 ▶ 摆上葡萄干。

触角 ▶ 把棒形巧克力对半折断，插在最前面的面圈上。

眼睛 ▶ 在最前面的面圈上涂上糖霜再粘上干红莓苔作眼睛。

最后完工 ▶ 在盘子侧边用糖霜（绿）绘一些叶子进行修饰。

布丁

（制作方法参考 78 页）

口感润滑、香气扑鼻的布丁是孩子们必不可少的一种甜点。只要把现成的布丁做一番装饰再放到容器里就可以吃了，而且十分美味，让人回味无穷。

装饰食材

布丁 / 香蕉 / 鲜奶油 / 香草奶油 / 棒形巧克力 / 薄荷 / 巧克力调料酱

家庭式的自制布丁

在透明玻璃杯里放一个布丁，装饰成西式糕点的样子

布丁

在玻璃杯里放入冰激凌，布丁按顺序重叠，在布丁的周围挤上香奶油（星形）。用香蕉（斜着切成薄片）、棒形巧克力、薄荷进行修饰。

致词

在碟子上用巧克力调料酱写上您所希望的致词。

拉丁字母布丁

还可以用布丁学习文字

装饰食材

布丁 / 糕点糖霜（白，粉）/ 巧克力调料酱

基本构成 ▶ 烤布丁（使用耐热小型容器）。
词 ▶ 在完成的布丁上用彩色糖霜和巧克力调料酱写上拉丁字母。

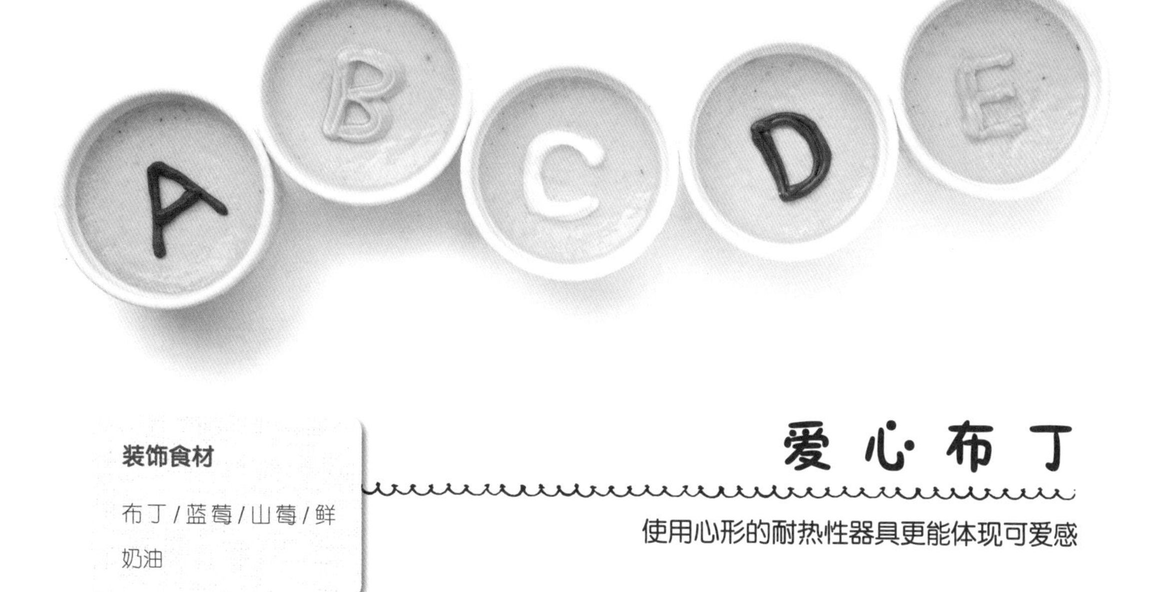

爱心布丁

使用心形的耐热性器具更能体现可爱感

装饰食材

布丁 / 蓝莓 / 山莓 / 鲜奶油

基本构成 ▶ 烤布丁（使用心形的耐热性器具）。
装饰 ▶ 用蓝莓，山莓，香奶油（星形）进行修饰。最后插上装饰性签子。

一起做的料理更加美味！母女（子）合作的烹饪

让我们意想不到的是孩子们也很喜欢做料理。他们可以一边享受其中的乐趣一边发挥最大力量劳动。令人惊喜的是孩子做的料理相当好吃。

小明制作品

玛格丽特比萨饼

首先是做自己喜欢的东西！挑战原味比萨饼！！

重点

可以直接使用市场上卖的比萨饼原料。涂抹上比萨饼调料酱，
再加些您自己喜欢的食材后烘烤就可以了。
如果自己不会涂调料酱的话可以让您身边的人帮忙。
可用自己喜好的食材，例如香草、火腿（切片）、玉米、金枪鱼等。

小春	小花	小林
金枪鱼，火腿（切片），玉米比萨饼	最喜欢西红柿比萨饼	以香草为主的绚丽多彩比萨饼

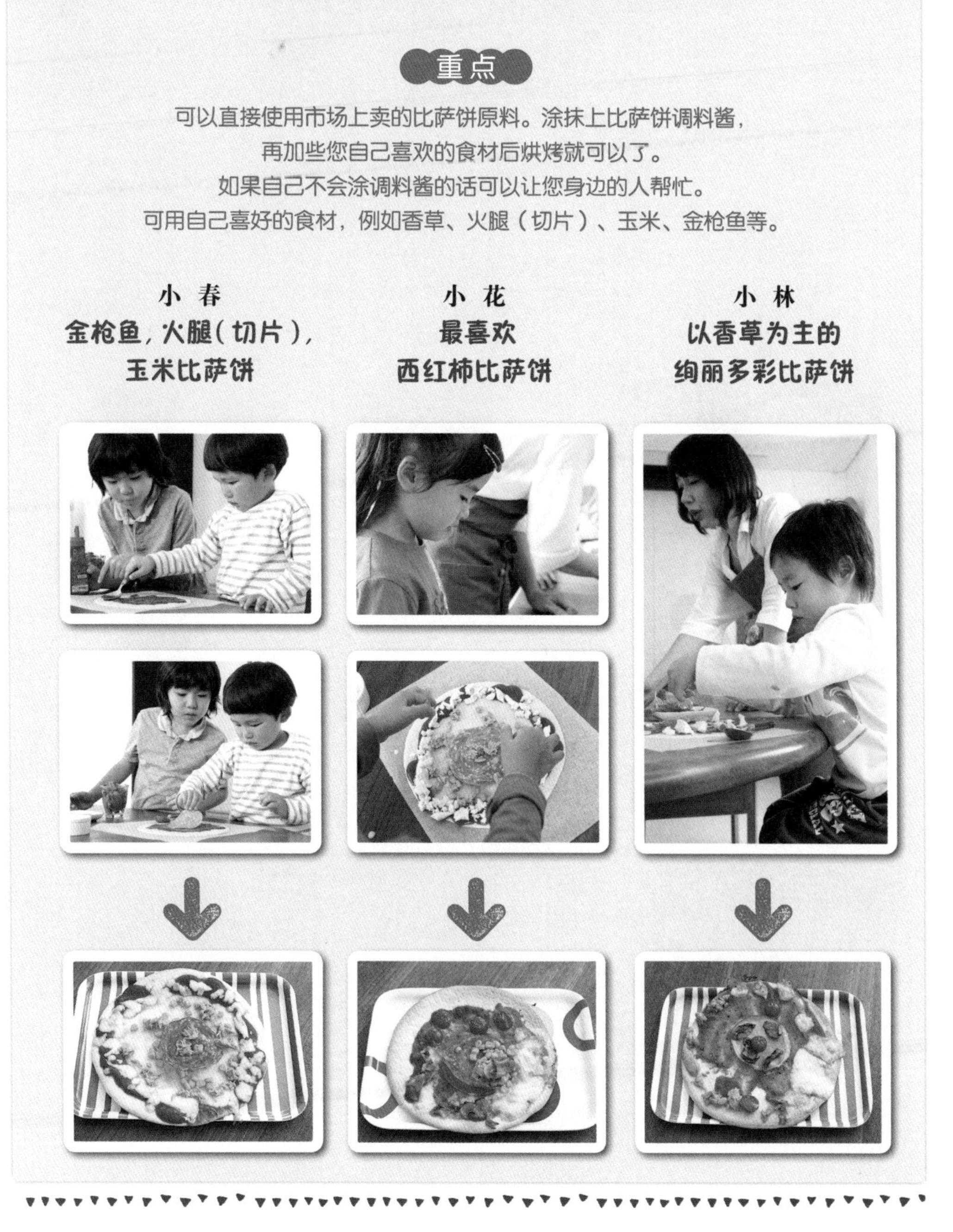

绝不会重样的蛋糕（自制蛋糕）

重点

需要成人把搅起泡沫的奶油涂抹到蛋糕坯子上。
准备好各种巧克力、制作点心的食材、水果等，
制作孩子们喜欢的蛋糕。
大家共同作业可能会引起混乱，所以事先决定好每个人负责的操作步骤是很关键的。

1 事先准备好买来的各种巧克力、小甜饼干、水果等。

2 把搅起泡沫来的奶油涂在蛋糕坯子上，最后大家一起制作装饰。

完成！

不愧为大家一起自制的，味道就是不一样！

孩子们的特别版！节日菜谱

和平日不一样的菜谱（节日菜谱），只要稍微加工一下
就成为一道豪华的料理！
为了给孩子们一个惊喜，可以在一些宴会等重要场合制作一些特别的菜肴。

举办宴会时，即使采用我们平时经常用的食材也能突出特别气氛。在生日时，使用一些亮丽的餐具更能烘托出欢乐的气氛。

使用我们平常常见的食材也可以很容易地做出生日蛋糕或宴会蛋糕。虽然不是很豪华，但因是自己手工制作的，孩子们应该会觉得很特别又温馨。

把孩子们喜欢的食材作为基本材料。只要把切法和摆放方式改变一下，就能突出盛宴的气氛。

节日明细

1月 新年

2月 立春
情人节

3月 女儿节
（偶人节）
白色情人节
毕业式

4月 开学典礼
（赏樱花季）

5月 儿童节
（端午节）
母亲节

6月 父亲节

7月 七夕
暑假

8月 盂兰盆节

9月 赏月（中秋节）

10月 万圣节

11月 七五三节
（日本独特的一个节日。在男孩三岁和五岁、女孩三岁和七岁时，都要举行祝贺仪式）

12月 圣诞节
除夕

生日、入学式等纪念日或像正月、立春等这样的传统节日以及万圣节、圣诞节等节日，都是孩子们特别期盼的日子。在这特殊的日子里，作为妈妈可以大显身手一番，为孩子们自制一份特别的料理，即使不是很完美，但对孩子们而言却比任何食物都美味。

Happy
Birthday

生日

生日是庆祝孩子成长的一个重要节日，
对孩子们来说既可以得到礼物又可以吃到蛋糕。
妈妈亲自做的蛋糕应该会让他们深刻地记住，
孩子们看到蛋糕时一定会感到惊喜的。

熊猫蛋糕

微笑滑稽的形态，孩子们特别喜爱！

装饰食材

海绵蛋糕坯子（直径 18cm）/鲜奶油 200g/ 细砂糖 20g/ 巧克力调料酱 / 巧克力（彩色扁圆形）/ 小块巧克力马卡龙馅饼 / 菠萝 / 橙子 / 青提子

基本

1 横着把海绵蛋糕坯子切薄，搽到一个已用直径 12CM 的保鲜膜铺好的盘子里。
2 100g 鲜奶油里放 10g 的细砂糖，用搅拌棒搅出花（如图），再在上面放上一个一样大小的薄薄的海绵蛋糕坯子。
3 用保鲜膜把步骤 2 中做好的蛋糕坯子盖好，在冰箱保鲜层里放 30—60 分钟。
4 把盘子里的蛋糕倒扣到另一个盘子里。

装饰 point

脸 ▶ 100g 鲜奶油里放 10g 的细砂糖后再搅拌成如图状态，用星形口的糕点挤花袋装好后再均匀挤到蛋糕表面。

眼睛 ▶ 用温汤勺的背面把奶油压平整，再用巧克力调料画上眼睛。在巧克力调料上摆放彩色扁圆形的巧克力。

鼻子、嘴巴 ▶ 用巧克力画出。

耳朵 ▶ 放上巧克力马卡龙饼干。

身体 ▶ 把菠萝切碎放上。

领结 ▶ 放上切好的橙子。

纽扣 ▶ 把对半切好青提子作为纽扣。

致词 ▶ 在盘子里用巧克力调料写上您所想要的祝词。

开学典礼

开学典礼是孩子的新开始。
在这可喜可贺一日的饭桌上，让我们共同为孩子祝福，
用充满春意的装饰寿司米饭（青菜，鸡蛋，鱼肉配上带有醋味的饭食）来庆祝。
华丽的寿司米饭在毕业典礼等各种庆贺场合也都适用。

樱花寿司米饭

使用粉红色的食材，充满春天的气息

装饰食材

寿司米饭（制法请参照77页）/熏制的鲑鱼/火腿/炒鸡蛋/雪豌豆

基 本

把醋味米饭盛到盘子里。

装饰 point

花 ▶ 把鲑鱼和火腿做成樱花形状撒到寿司米饭里。
树叶 ▶ 将雪豌豆斜刀切开，再撒到米饭上。
彩色 ▶ 撒上炒鸡蛋。

这样的构思也不错哟！

在一些庆祝的场合中，用这样华丽的装饰寿司饭款待他人正适合。没必要用什么奢侈的食材，只不过是用一个稍微大点的盛具放在桌子上就可以充分地体现出隆重的气氛。放块可以写字的食材并且在上面写上一些致词更是再好不过了。然后，把粗米饭做成粗卷寿司，上面放上火腿花瓣，再用蛋黄酱等写上文字也不错。根据不同的季节和节日及不同的场合来变换材料及盛具，也是一种不错的想法。

正 月

正月最让孩子们期待的就是红包了！
孩子们都欢欣雀跃地等待着这份祝贺新年的礼物。
不过年节菜却不受孩子们的欢迎，很多孩子都不爱吃。
所以我们应该想方设法做一些让孩子们惊喜又适合他们口味的料理。

孩子们的年节菜

花样百出的年节菜＆年糕

装饰食材

黑豆／煮熟食／鱼肉鸡蛋卷／红姜／红白鱼糕／咸烹海带／海苔／白米饭／南瓜／雪豌豆／绿紫苏

装饰 point

黑豆 ▶ 把黑豆用牙签穿起来，各穿三串。

煮熟食 ▶ 把喜欢的材料切成小块，再用牙签穿起来。

老虎蛋卷 ▶ 切一块轮形的蛋卷作脸，再切两块小三角形的蛋卷作耳朵。把咸烹海带切成细长形作老虎的胡须，海苔切成小圆形作眼睛和嘴巴。

兔子鱼肉鸡蛋卷 ▶ 把白色鱼糕切成圆形作兔子的脸。红白鱼糕切成长条形作耳朵。红姜切成小弯月形作眼睛，海苔作鼻子。

圆形年糕 ▶ 把米饭用保鲜膜包着，各攥成两个大小不一的圆形。把攥好的两个米饭团重叠放在微波炉热到口感柔软为止，再把剁碎的南瓜攥成小圆形放在米团的顶端，把切成小丁的雪豌豆放在南瓜上当装饰。最后在碟子里铺上绿紫苏，放上做好的圆形年糕就完工了。

这样的构思也不错哟！

平时一些因做饭而忙碌的妇女，在正月这样的日子里都希望能悠闲一些。现代所有的妈妈应该都是如此。那么，只要稍微准备一些以年节菜为主的食材就可以了，例如用冰箱里小孩子喜欢的食物和年节料理配起来，装到一个小正方形密封器具里就可成为一道迷你年节菜。这些都是“自己喜欢的食材”，而且很快就可以完成。

情人节

在寒冷的冬季里，比较隆重的节日就是 2 月 14 日的情人节了。
一说到情人节当然就会联想到巧克力，送巧克力是女性向男性传递情感的一种手段。
不过最近不仅是情人、爱人之间，朋友之间也会用巧克力来表达感情。
即使是小孩子也是如此，好朋友会在这天用巧克力来传递友好情感。

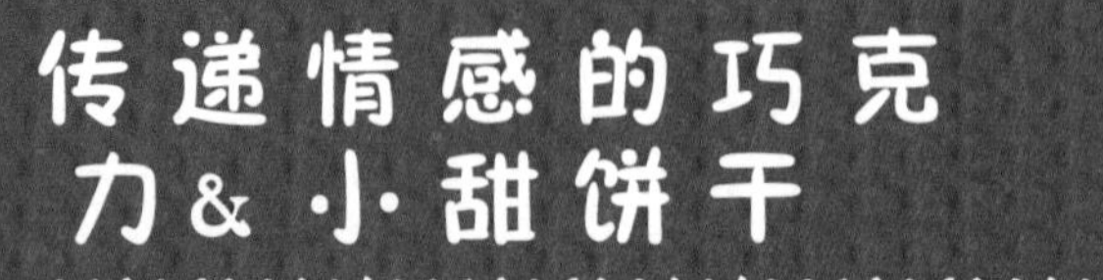

传递情感的巧克力＆小甜饼干

使用市场贩卖的巧克力或者小甜饼干就可以了

装饰食材

心形的巧克力（市场贩卖品）/ 心形小甜饼干（糕点）/ 糖霜（白，粉）/ 巧克力调料酱

装饰 point

巧克力 ▶ 使用糖霜或者巧克力笔来写上您所希望的祝词。

心形糕点 ▶ 在全部心形糕点的表面涂抹一层糖霜，等糖霜干后再用巧克力笔或者糖霜写上您想说的话。

白色情人节

3月14日是白色情人节，也就是回敬2月14日情人节礼物的日子，
糖果、果汁软糖、白色巧克力等，总而言之什么甜品都可以。
虽说如此，我还是建议制作一些既朴素又好看的杯形蛋糕。
加上糖霜或者巧克力的装饰，一定会更漂亮。

杯形蛋糕

用白色的糖霜来代表女孩子们的形象

装饰食材

杯形蛋糕（制法参考79页）/奶油乳酪的糖霜/加料装饰（彩色食物装饰品，彩色调料酱，装饰果酱）

装饰 point

奶油乳酪的糖霜 ▶ 100g奶油乳酪里放入50g的白细砂糖和两小杯柠檬汁后搅拌。之后把搅拌好的奶油糖霜放入蛋糕挤花袋（星形口）里并挤在杯形蛋糕上。

加料装饰 ▶ 为了美观可以在糖霜上放一些带有颜色的食物装饰品。

这样的构想也不错！

把糖霜乳酪弄平后用巧克力笔或者糖霜写上您所希望的祝词及姓名。

绘画风格的杯形蛋糕

送给家人的礼物，带有浓浓的春意

装饰 point

把五块杯形糕点摆放成似花朵的形状，中间再放一块小饼干（市场贩卖品）。抹茶味的棒形巧克力作为树叶和茎。用两块心形的饼干和一条棒形的巧克力组成一只翩翩起舞的蝴蝶。

女儿节（偶人节）

3 月 3 日是女儿节（偶人节），是祈求女孩子健康成才的节日。
因此尽可能在做料理方面以玩偶为中心，不仅如此，
在桌上也要陈列一些华丽、显眼的古装玩偶，这是日本的一个传统风俗习惯。
其实没有必要特意去准备一些专用食材，只要用我们身边经常使用的食材就足够了。

古装玩偶的油炸豆腐寿司

最爱的油炸豆腐玩偶，一本正经的姿态！

装饰食材

什锦寿司饭（市场贩卖品）/油炸的甜食品（市场贩卖品）/蟹鱼糕/雪豌豆/鹌鹑蛋（水煮）/黑芝麻/鱼松粉/咸烹海苔/玉米（罐头）/秋葵

装饰 point

身体 ▶ 把什锦寿司饭用保鲜膜包好攥成三角形，各攥两个。

衣着 ▶ 把油炸豆腐掰开切成三角形后罩在三角形的饭团上。如果是女偶人（公主），就把蟹鱼糕切成细长形作为衣领，如果是男偶人（王子），就把雪豌豆切成细长形作为衣领装饰。

脸 ▶ 把鹌鹑蛋作为脸，用牙签和饭团固定，把鱼松粉作为胭脂涂抹在脸蛋的两侧部位。

头发 ▶ 在鹌鹑蛋的上方放上咸烹海苔。

皇冠 ▶ 女：玉米。男：把秋葵切成轮形放在咸烹海苔上。

这样的构思也不错哟！

只需要把冷藏的桃罐头放到一个比较华丽的玻璃杯里，就可以轻而易举地制作出一个灯笼造型的甜点，如果再加上雪糕肯定会更好吃。除此之外，再加些上等的枫叶饼及日式小点心，就成为更能体现出这个节日的食品了。

菱形年糕米饭

只要把饭团做成菱形就可以了！

装饰食材

白米饭/鱼松粉/肠浒苔/盐巴

装饰 point

绿色米饭 ▶ 把米饭和肠浒苔混合。

白色米饭 ▶ 米饭里加些盐巴。

桃色米饭 ▶ 把米饭和鱼松粉混合。

最后完工 ▶ 分别用保鲜膜包好做一个同样大小的菱形再按顺序重叠起来。

儿童节（端午节）

5月5日的儿童节是祝愿男孩子平安健康成才的日子。
像这种特别的日子里让我们联想到的就是鲤鱼旗了。
所以在为孩子们做料理时最好准备带有鱼的料理。当然直接做鱼也可以。
再准备一些用树叶包的年糕或者粽子等，会让这张饭桌更有祝贺和喜庆的气氛。

鲤鱼奶汁烤菜

把奶汁烤菜做成鲤鱼的图案，把它装饰得色香味俱全

装饰食材

奶汁烤菜（制法参考75页）/胡萝卜/雪豌豆/萝卜/玉蕈

基本

用椭圆耐热型的盘子制作奶汁烤菜。

装饰 point

鱼鳞 ▶ 把煮好的胡萝卜切成月圆形，再把雪豌豆切成细条形分别摆放好。

鱼尾 ▶ 把胡萝卜切成梯形后再放上切成细长形的雪豌豆。

眼睛 ▶ 用白萝卜作鱼的眼球，玉蕈作眼珠。

头盔年糕

（槲树叶包的且带馅）

只要在年糕上插两根细长条的食材就可以了！

装饰食材

带馅年糕（市场贩卖品）/油炸甜点心

装饰 point

头盔 ▶ 把油炸甜点心（细长形）对称插在年糕上。

七夕

7月7日是七夕节，在日本有七夕吃挂面的风俗，
这是从室町时代就开始流传的一种习惯。
一说起七夕我们首先联想到的就是牛郎和织女，还有长条诗签、竹叶、小星星等。
因此在烹饪的时候，以七夕为中心可以做一些相关的料理。
例如，做一道长长通往天空的料理——天河挂面以便牛郎和织女会面，
再用一些华丽的盘子和颜色鲜艳的食材进行点缀，突出七夕的气氛。

天河挂面

在挂面上撒些切好的秋葵，就像夜间的星空

装饰食材

挂面 / 秋葵 / 玉米（罐头）/ 蟹鱼糕 / 雪豌豆 / 炒鸡蛋丝 / 胡萝卜（切薄）/ 挂面汤汁

基本

把挂面按照说明煮好后放置在餐盘里

装饰 point

天河 ▶ 把煮好的挂面盛到长形的器具里，再另外加些水。

装饰蔬菜 ▶ 把蔬菜捞水，秋葵切成轮形，胡萝卜用心形模具做成，雪豌豆切成细条形。

完工 ▶ 在挂面上撒上蔬菜、玉米、切成细条线的蟹鱼糕和蛋丝，最后加上汤汁。

这样的构思也不错哟！

七夕是炎热夏天的开始，所以制作的料理都以凉爽为主，再加上一些可爱的装饰，应该就能勾起孩子的食欲。在配料方面，例如把蟹鱼糕切成长条诗签或者用食物模具做一些形象的图形，就能十分体现出七夕的风情了。还有星形的果子冻以及放在竹叶上的点心、棒形巧克力等。再用巧克力笔写上您的愿望，都是不错的构思。

中秋节

所谓的"中秋节"或者"八月十五",是赏月的日子,
这是从很早的时候就已有的习俗。这一天日本有供奉丸子的习惯。
不过这天也可以叫做"芋明月",供奉芋头等食物。
可以以白薯和丸子为中心进行构思,制作一些新风格、新样式的圆月油炸饼。

圆月炸饼

可爱的圆形炸饼代替丸子

装饰食材

炸肉饼(制法参考74页)/调料酱

装饰point

圆月 ▶ 用炸肉饼的馅攥一个圆形后进行油炸。
完工 ▶ 把炸好的肉饼堆成赏月式的丸子风格,再加些调料酱。

这样的构思也不错哟!

中秋节是从中国流传过来的一个节日,在中国被人们极为重视,有吃月饼、赏月的习惯。如果能用南瓜制作油炸饼的馅心,那么掰开时无论从色泽还是感觉都很接近八月十五的圆月。还有除了油炸丸子以外也可以采用秋天的时令水果或者豆类。在这里我们还可以用葡萄或者市场贩卖的点心制作一些像月亮、兔子这样的造型,然后,大家在一起讲讲古老的传说,我想这一定会给孩子留下深刻印象。

万圣节

10 月 31 日是从古代凯尔特人时代就开始的传统节日——万圣节前夜。
近几十年来，日本也一直过这个节。
过节时我们会把南瓜的肉和瓤都挖空做成“杰克灯”。
如果这时我们能以南瓜料理为主，一定会很有气氛、很热闹。

南瓜肉饼

看外观就觉得很好吃

装饰食材

南瓜 / 肉饼馅 /（制法参照 75 页）/ 溶解的乳酪

装饰 point

南瓜 ▶ 把南瓜放到微波炉里进行加热，直到变柔软为止。把南瓜上部分横着切掉，把南瓜子和南瓜肉全部清空。在南瓜皮里面放上肉饼馅再浇上乳酪，之后放到已预热好的 180℃烤箱里烤 20 分钟左右。

眼睛、嘴巴 ▶ 南瓜变柔软之后取出来用刀子等类似刻画工具进行作业。

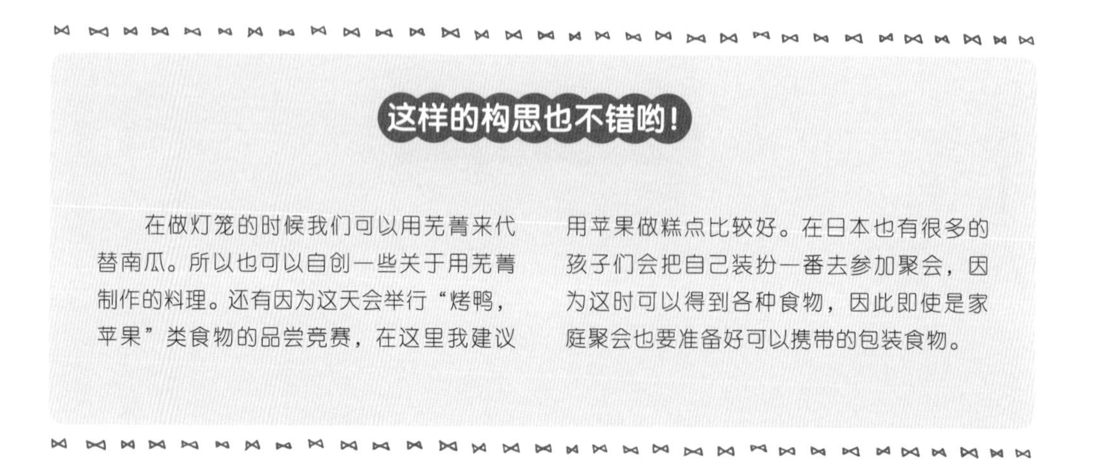

这样的构思也不错哟！

在做灯笼的时候我们可以用芜菁来代替南瓜。所以也可以自创一些关于用芜菁制作的料理。还有因为这天会举行“烤鸭，苹果”类食物的品尝竞赛，在这里我建议用苹果做糕点比较好。在日本也有很多的孩子们会把自己装扮一番去参加聚会，因为这时可以得到各种食物，因此即使是家庭聚会也要准备好可以携带的包装食物。

圣诞节

年末最为盛大的节日就是圣诞节了。
嘴里一边吃着东西一边打游戏，而且还可以得到不少礼物……
像这样特别的日子，孩子们可能很早就开始期待了。
在料理方面，让我们尽情试做一些具有圣诞氛围的料理吧。

圣诞树比萨饼

把比萨饼切成三角形后叠起来

装饰食材

用于制作比萨饼的面饼（市场贩卖）/ 比萨饼调料酱 / 溶解奶酪 / 迷你西红柿 / 青椒 / 黄菜椒

基本

在比萨饼表面层涂上调料酱再加上奶酪后放到已热好的 200℃烤炉里烤，一直烤到奶酪熔化、面饼边缘变硬、颜色焦黄为止。

装饰 point

树木 ▶ 用比萨饼专切工具把比萨饼切成八块，再把其中的三块成松树状叠放在碟子里。把最上边的那一块对半切，其中的一半切成自己喜欢的形状任意摆放。

加料装饰 ▶ 把迷你西红柿对半切、青椒做成八角碟子形铺在比萨饼上，用星形模具把黄菜椒刻成星形后放在比萨饼的最顶端。

有圣诞装饰的圆形蛋包饭

只要把鸡肉饭堆成圆形
就变成与圆形圣诞装饰一样的蛋包饭了

装饰食材

鸡肉饭（制法参考 76 页）/ 青椒 / 胡萝卜（薄片）/ 炒鸡蛋 / 番茄酱

装饰 point

圆形圣诞装饰挂圈 ▶ 把鸡肉米饭装入圆形模具盒里，把模具里的食材翻过来放到盘子里。

加料装饰 ▶ 把青椒用柊树叶模具刻成柊叶形状，把煮好的胡萝卜用拐杖模具刻成拐杖形状，最后把炒鸡蛋用星形模具刻成星形后，分别放在米饭上作装饰。

完工 ▶ 用番茄酱在盘子上画出丝带。

此书中出现的料理做法

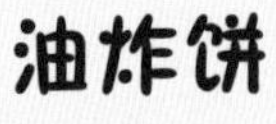

油炸饼

P18、P68

食材（四人份）

土豆 四个

洋葱 半个

肉馅 100g

黄油 一大勺

盐巴 一小勺

胡椒 少许

面包屑（强力面粉，鸡蛋，面包粉）

油 适量

做法

1. 将土豆放到锅里煮熟后剥皮（趁热进行），再放在盛器中剁碎。
2. 黄油放入锅里溶解，将洋葱剁碎进行翻炒直到失去水分的程度后再加上肉一起翻炒。
3. 将以上两步中的食材放在一起，用酱油进行调味搅拌，做成自己喜欢的形状。
4. 按顺序把面粉、鸡蛋、面包粉裹住步骤3中做出的混合食材，之后放在170℃的油锅里炸。

★小块的肉饼易碎，所以要特别注意时间。

咖喱

P20

材料（12盘份）

市场贩卖的咖喱料理块 一盒（约240g）

鸡肉 两块

洋葱 三个

土豆 四个

胡萝卜 两根

水 1400cc

大蒜酱 一勺

生姜酱 一勺

油 两大匙

自己喜欢的酱油、调料酱 各两小匙

做法

1. 把洋葱切薄片，土豆、胡萝卜、肉切成能一口入嘴的小块。
2. 锅里放入油、大蒜酱、生姜酱进行翻炒直到香味出来为止，再把洋葱加入锅里炒到失去水分的程度就可以了。
3. 在炒好的酱里按顺序加上肉、胡萝卜、土豆进行翻炒。
4. 炒好后加水，煮到所有蔬菜都变软为止。
5. 煮软后关火，把咖喱调料块掰碎溶解。再次打起火，咖喱煮到黏糊为止。最后加入自己喜欢的调料和酱油就完成了。

肉饼

P22、P70

食材（四人份）

牛肉馅 500g

洋葱 半个

面包 一片

牛奶 四大勺

自制调味料（盐巴一小勺 肉果、酱油分别少许）

鸡蛋 一个

英国酱辣油 一大勺

油 适量

做法

1. 把油倒进锅里后将剁碎的洋葱放到油锅里小火进行翻炒，直到变为茶色为止，再盛起来让它冷却。
2. 把面包片碾碎放到牛奶里浸透。
3. 冷却好的肉和自制调味料在一个容器中进行混和，再加上步骤 1 和步骤 2 中做好的食材继续混和。之后加上鸡蛋和英国辣酱油再次充分混和。
4. 把油涂抹在手上，把步骤 3 中做出的糊糊攥成自己喜欢的形状。
5. 炒锅加热倒些油后，轻轻地把做好形状的食材倒进去。用中火煎到金黄色再翻过来，另一面也煎到同样程度后盖上锅盖，再干蒸一会儿就可以了。

奶汁烤菜

P24、P64

材料（四人份）

白色调料（面粉 40g，黄油 40g，牛奶 600cc，盐巴一小勺，胡椒少许）

通心粉 200g

比萨饼专用奶酪 适量（能盖住奶汁烤菜的程度）

做法

1. 制作白色调料。在锅里放入面粉和黄油后开起小火，注意不能烧焦，炒到有“刷刷”的响声就可以了。
2. 在白色调料里加上温牛奶，用搅拌器一边搅拌一边用中火加热，直到调料变成黏糊的状态后把火关掉，用盐和酱油进行调味。
3. 在热水里加些盐。把通心粉下锅按照指定的时间煮。
4. 煮好的通心粉盛到一只耐热盘里，把步骤 2 中做好的调料汁倒在通心粉上，再整体浇上奶酪进行覆盖。之后放入加热好的 200℃烤炉里烤 20 分钟左右。

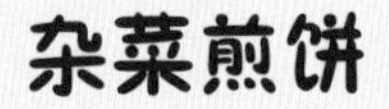

杂菜煎饼

P26

材料（两块直径约 15cm ）

山芋 手掌大小

包菜 240g

自制调味料（面粉 80g，发酵粉半小勺 盐巴半小勺 砂糖一小勺）

浓汤汁（用海带、木鱼等做成的汤汁）120cc

面露（三倍浓缩型）一大勺

红生姜剁碎 一大勺

炸渣儿（炸鱼虾时用的）两大勺

油 适量

加料（调味料，肠浒苔，柴鱼片，蛋黄酱，红生姜适量）

做法

1. 把山芋的皮刮干净并磨成糊状，包菜剁碎。
2. 把自制调味料放到盛具里搅拌后再放到碗里，一点点地把汤汁加进去，用搅拌器充分搅拌。再混合调味料汤汁后原地不动放上五分钟左右。
3. 在步骤 1、2 中做好的食材里加上炸渣儿和红姜，完全混合后再充分搅拌。最后打鸡蛋再次搅拌。
4. 锅里放少许油进行加热，再把步骤 3 中做好的混合物放进去正反两面煎。
5. 煎好后盛到碗里，放入自己喜欢的调料，如肠浒苔、蛋黄酱、柴鱼片、鲣鱼。

★ 喜欢肉的朋友可以把肉切成薄片，在做杂菜煎饼的时候把肉放在上面一起煎。

蛋包饭

P36、P73

食材（两人份）

鸡肉 100g

洋葱 半个

米饭 300g

黄油 一大勺

自制调味料（番茄酱三大勺 细盐半小勺 胡椒少许）

鸡蛋 四个

盐巴 少许

油 适量

做法

1. 把鸡肉和洋葱切成一厘米左右的角形，在炒锅里放上黄油进行翻炒。
2. 炒好后加上温米饭，用锅铲把米饭打松后再加上番茄酱、盐、胡椒进行调味。
3. 在碗里把蛋打碎后进行搅拌，再加些盐。油放入锅中加热后把其中一半的鸡蛋倒下去盖住整个锅底，用筷子迅速地轻轻地搅拌，等到表面变成半熟状态且近锅底那层鸡蛋凝固即可。
4. 把一半米饭做成橄榄球形状放到鸡蛋中，用煎鸡蛋把米饭包住就可以了。
5. 盛到盘子里，用厨房专用纸包好后做出想要的形状，涂上自己喜欢的番茄酱。剩下的做法同上。

其 他

寿司米饭

P56、P62

材料

米 180g

自制调味料（醋 100cc，砂糖 30g， 盐两小勺）

鸡蛋 四个

做法

1. 把米洗干净后倒入电饭锅，加水煮。水量要比通常煮米饭时稍微少一点。
2. 把自制调味料放到小锅里煮开做成寿司醋。
3. 把煮好的米饭摊在一个大盘子里，把寿司醋均匀加上去进行搅拌。

★ 如果可以的话，先让米饭冷却，寿司醋混合的时候，可以一边扇动冷却一边加醋。

薄煎饼

P42

材料（两三块）

混合自发粉 150g

鸡蛋 一个

牛奶 100cc

油 适量

做法

1. 在盛具里放入混合自发粉再加鸡蛋和牛奶混合搅拌。
2. 把平底锅加热放入油，把步骤 1 中做好的混合物放一半到锅里。
3. 边缘煎到发硬后倒扣过来，用小火再煎两三分钟就可以了。

烤面圈

P44

材料（六个）

混合自发粉 100g

鸡蛋 一个

黄油 50g

牛奶 50cc

做法

1. 把黄油放到一个耐热盛具里，用微波炉热一分钟左右让它熔化。
2. 在盘子里放入混合自发粉，鸡蛋进行搅拌，再把黄油加上去进行均匀搅拌。最后再加牛奶充分搅拌，一直搅拌到完全溶解为止。
3. 搅拌后的液体注入面圈模具里，再放入 170℃ 的烤炉里烤 20 分钟左右。

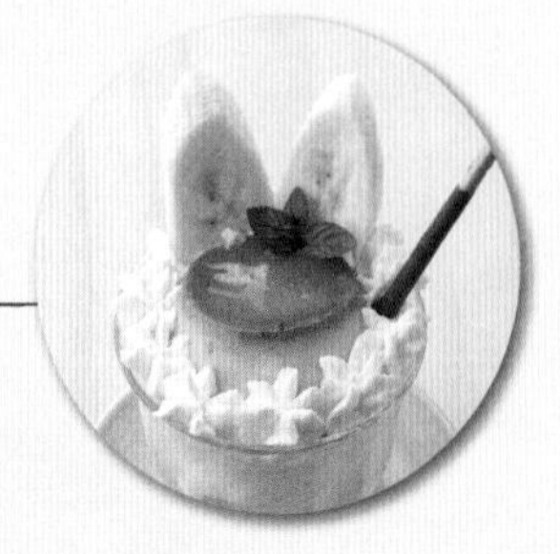

布丁

P46

材料（六个）

糖色调料（细砂糖 90g，热开水 50cc）

蛋 两个

蛋黄 两个

细砂糖 40g

香草豆棒 5cm

牛奶 300cc

做法

1. 做糖色调料。在小锅里放入细砂糖，打开中火不要搅拌，处于边缘的糖溶解后把锅摇动一下，让没溶解的部分完全渗透下去。
2. 等糖溶解一半以上，就用木铲轻轻搅拌一下，整体出现白色小泡沫且冒烟时就把火关掉，再次加水后开火，让凝固的部分再次溶解。
3. 把步骤 2 做好的食材一点点注入容器里后放进冰箱冷却。
4. 将鸡蛋打到盘子里，放入细砂糖，用搅拌器搅拌到出现泡沫为止。
5. 锅里放入牛奶和香草豆棒，把火打开。等沸腾后再把蛋液放入进行搅拌后过滤。
6. 把步骤 3 和步骤 5 中做好的食材均匀混合。
7. 混合后放到 150℃的烤炉焙盘上，焙盘里加入热水，干蒸 40 分钟左右，蒸好之后放到冰箱里冷却。

杯形蛋糕

P61

材料（四个份）

无盐黄油 50g

鸡蛋 一个

细砂糖 50g

面粉（面粉 50g，发酵粉半小勺）

做法

1. 把熔化的黄油搅拌到有气泡为止，再放入细砂糖后搅拌。
2. 把打碎的鸡蛋分三回放进黄油里，每次放的时候都要搅拌。
3. 把混合搅拌好的面粉放到黄油蛋液里，再用橡胶铲迅速搅拌一下。
4. 做好花式纸杯，把混合物均匀放下去。
5. 放到 180℃的烤箱烤 15~20 分钟左右。

★ 最好冷却后再挤糖霜和巧克力调料。

糖霜

P11

材料

细砂糖 100g

蛋白 15g

做法

1. 把蛋白一点点放到砂糖里，柔软度按自己的喜好做就可以了，不过如果太硬的话可以加少量的水进行调节。
2. 如果要加颜色的话就用牙签把调好颜色的糖霜一点点往上加，选择自己喜欢的颜色加上去。
3. 装到挤花袋里再挤出来。

巧克力调料

P11

材料

市场贩卖的牛奶巧克力 半块

做法

1. 把块形巧克力掰开放到一个耐热容器里，再用微锅炉加热 30 秒左右。
2. 热完后拿出来搅拌，如果还有硬的部分可以再加热 10~20 秒左右。
3. 装到一次性袋子里后再挤出来。

★ 巧克力调料一旦冷却就会变硬，所以要马上进行之后的工作。不过温度过高也不行，一定要特别注意把握好柔软度！

图书在版编目（CIP）数据

给孩子做一份可爱便当 /（日）铃木真帆著；刘丽萍译．—北京：北京日报出版社，2015.9

ISBN 978-7-5477-1373-0

Ⅰ．①给… Ⅱ．①铃…②刘… Ⅲ．①食谱－日本 Ⅳ．①TS972.183.13

中国版本图书馆 CIP 数据核字（2014）第 266516 号

著作权合同登记号 图字：01-2015-3389

给孩子做一份可爱便当

出版发行： 北京日报出版社
地　　址： 北京市东城区东单三条 8-16 号东方广场东配楼四层
邮　　编： 100005
电　　话： 发行部：（010）65255876
总编室：（010）65252135-8043
印　　刷： 河北鑫宏源印刷包装有限责任公司
经　　销：各地新华书店
版　　次：2015 年 9 月第 1 版
2015 年 9 月第 1 次印刷
开　　本：710 毫米 ×1000 毫米　1/16
印　　张： 5
字　　数： 100 千字
定　　价： 22.80 元